Fuentes primarias de la expansión hacia el Oeste

La fiebre del oro

Kate Shoup

Traducido por Christina Green

Cavendish Square
New York

Publicado en 2018 por Cavendish Square Publishing, LLC
243 5th Avenue, Suite 136, New York, NY 10016

First Edition

CPSIA Compliance Information: Batch #CS17CSQ

Library of Congress Cataloging-in-Publication Data
Names: Shoup, Kate, 1972- author.
Title: La fiebre del oro / Kate Shoup, translated by Christina Green.
Description: New York : Cavendish Square Publishing, [2018] | Series: Fuentes primarias de la expansión hacia el Oeste | Includes bibliographical references and index.
Identifiers: LCCN 2016047010 (print) | LCCN 2016047259 (ebook) | ISBN 9781502628954 (library bound) | ISBN 9781502628961 (E-book)
Subjects: LCSH: California--Gold discoveries--Sources--Juvenile literature. | California--History--1846-1850--Sources--Juvenile literature. | Frontier and pioneer life--California--Sources--Juvenile literature. |
Pioneers--California--History--19th century--Sources--Juvenile literature.
Classification: LCC F865 .S55154 2018 (print) | LCC F865 (ebook) | DDC 979.4/04--dc23
LC record available at https://lccn.loc.gov/2016047010

Editorial Director, Spanish: Nathalie Beullens-Maoui
Translator: Christina Green
Editor, Spanish: María Cristina Brusca
Editorial Director, English: David McNamara
Editor, English: Fletcher Doyle
Copy Editor, English: Nathan Heidelberger
Associate Art Director: Amy Greenan
Designer: Raúl Rodriguez
Production Coordinator: Karol Szymczuk
Photo Research: J8 Media

The photographs in this book are used by permission and through the courtesy of: Cover Library of Congress; p. 5, 6, 21, 48 North Wind Picture Archives; p. 8 Underwood Archives/Getty Images; p. 9, 37 Universal History Archive/Getty Images; p. 10 Shruti Mukhtyar/Wikimedia Commons/File:SpanishMissionsinCA.png/ CC BY SA 4.0; p. 14 (left), 20 Library of Congress/Corbis/VCG/Getty Images, (right) New York Public Library/ Science Source/Getty Images; p. 15 Antiqua Print Gallery/Alamy Stock Photo; p. 17 Ivelin Radkov/Shutterstock. com; p. 23 G.F. Nesbitt & Co., printer/Wikimedia Commons/File:California Clipper 500.jpg/Public Domain; p. 25 Kenkistler/Shutterstock.com; p. 26, 30 Hulton Archive/Getty Images; p. 29 Bay Area News Group/MCT/ Getty Images; p. 32 Courtesy of the California History Room, California State Library, Sacramento, California; p. 33 Library of Congress/Wikimedia Commons/File:SanFranciscoharbor1851c sharp.jpg/Public Domain; p. 34 Gary Saxe/Shutterstock.com; p. 35 Duane Howell/Denver Post/Getty Images; p. 40 Fotosearch/Getty Images; p. 41 C.E. Watkins/Library of Congress/Corbis/VCG/Getty Images; p. 44 dell640/iStock/Thinkstock.com; p. 45 De Agostini Picture Library/Getty Images; p. 46 Bettmann/Getty Images; p. 51 Corbis/Getty Images.

Printed in the United States of America

CONTENIDO

INTRODUCCIÓN

El punto de inflexión de la nación

En 2013, California registró una población de 38,332,521 habitantes, más que cualquier otro estado de Estados Unidos. No siempre tuvo tanta gente. En 1848, cuando Estados Unidos adquirió California a México, al terminar la guerra mexicano-estadounidense, vivían allí menos de 12,000 colonos blancos o de origen mexicano, junto a una población estimada de 150,000 nativos americanos.

¿Qué causó esa explosión demográfica? Muchos fueron los factores. Quizás el más importante fue el descubrimiento de oro por James Wilson Marshall, en el norte de California, en enero de 1848. Ocurrió nueve días antes de que los representantes de Estados Unidos y México firmaran el Tratado de Guadalupe Hidalgo, que puso fin a la guerra mexicano-estadounidense y le concedió a Estados Unidos más de 500,000 millas^2 (1.3 millones km^2) de territorio mexicano. (Ninguna de las partes sabía del descubrimiento de Marshall al momento de la firma del tratado). Se desató entonces la fiebre del oro en California, durante la cual más de 300,000 personas, en su mayoría

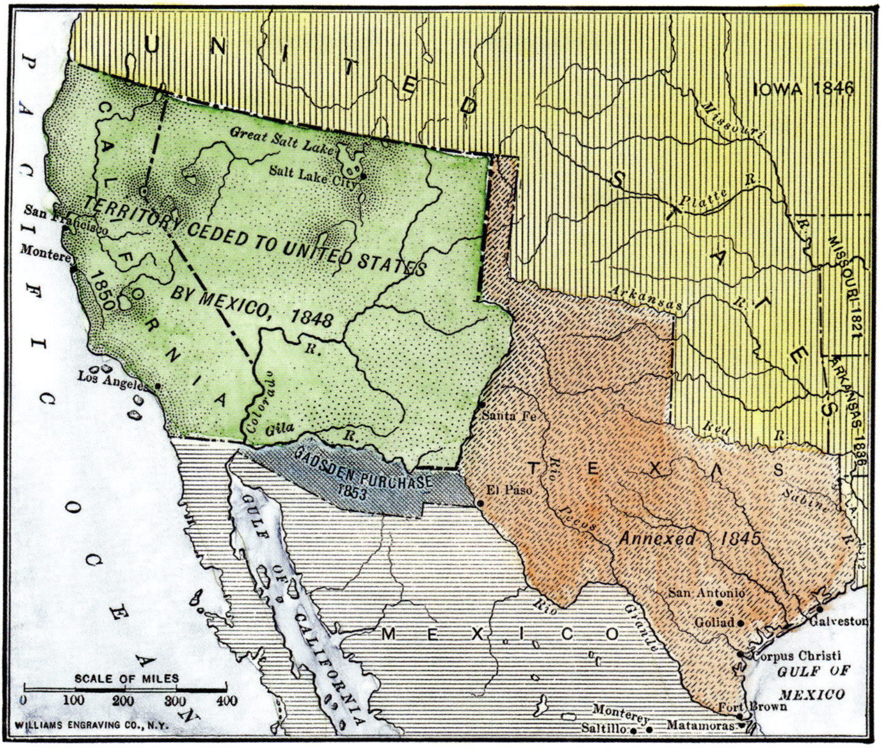

El territorio en verde fue cedido por México a Estados Unidos luego de la guerra mexicano-estadounidense.

hombres, migraron a California en siete años.

Este número podría parecer insignificante. Después de todo, dista bastante de los millones de personas que viven hoy en California. Sin embargo, considera cómo era el viaje para llegar allí. Hoy es posible volar de Nueva York a California en cuestión de horas. Durante la fiebre del oro de California, que comenzó más de veinte años antes de que los trabajadores del ferrocarril terminaran de conectar las primeras vías a través del oeste estadounidense, este viaje llevaba meses. Los migrantes que llegaban por mar soportaban un viaje de doscientos días que recorría 20,700 millas (33,313 kilómetros). Por tierra, la Ruta de California era más rápida pero mucho más peligrosa por los desafíos del terreno y la amenaza de enfermedades.

Durante la fiebre del oro, California era un lugar sin ley y, con frecuencia, salvaje.

Muchos perecían durante el viaje. Además, muchos otros morían al llegar a California por las condiciones de vida primitivas y la cultura sin ley en los campamentos de las minas de oro.

Sin duda, los riesgos eran altos pero, para quienes se topaban con el oro, las recompensas eran enormes. Miles de **gambusinos** se hicieron ricos (aunque muchos, no). Lo mismo pasó con innumerables comerciantes y tenderos. De hecho, según el historiador H. W. Brands, el descubrimiento de oro en California ayudó a iniciar "la era moderna del desarrollo económico estadounidense". Quizás, y más importante, es que la fiebre del oro de California alteró la cultura estadounidense y la percepción popular del sueño americano. Antes, como lo destaca Brands, el sueño americano era "el sueño de los puritanos..., de hombres y mujeres que se contentaban con acumular modestas fortunas de a poco, año tras año". Luego de la fiebre del oro de California, "el nuevo sueño fue el de una fortuna instantánea, ganada en un abrir y cerrar de ojos gracias a la audacia o la buena suerte". En este sentido, la fiebre del oro fue un importante nivelador. En particular, durante los primeros años de la fiebre del oro de California, cualquiera con una batea y un pico podía ir en busca de oro y hacerse rico. Este nuevo sentimiento de movilidad económica pronto se infiltraría dentro de la cultura estadounidense.

La fiebre del oro de California fue un punto de inflexión histórico que sentó las bases para el crecimiento acelerado hacia el Oeste y la expansión en los años que vendrían.

CAPÍTULO UNO

Las fuerzas impulsoras

La fiebre del oro de California puede haberse encendido en 1848, pero la historia de este hecho épico comienza mucho antes, en 1542. Ese año, el rey Carlos I de España encargó a Juan Rodríguez Cabrillo dos importantes misiones.

En primer lugar, el rey quería que Cabrillo navegara hacia el norte desde Nueva España en busca de una provincia llamada Cibola, porque se rumoreaba que tenía oro en abundancia . En esa época, Nueva España incluía, entre otros territorios, Centroamérica y México, tal como lo conocemos hoy, regiones antiguamente ocupadas por la civilización azteca. En segundo lugar, Carlos I quería que Cabrillo encontrara un paso al norte desde el océano Pacífico al océano Atlántico.

Cabrillo jamás encontró Cibola. Tampoco el paso al norte. Sin embargo, fue el primer europeo en poner un pie en la California que conocemos hoy. Cabrillo llegó primero a lo que hoy es San Diego. Luego llegó a Puerto de los Reyes,

En este cuadro se representa el encuentro de Juan Rodríguez Cabrillo con los nativos de California.

unas 30 millas (48 km) al norte de lo que más adelante sería Yerba Buena (hoy San Francisco).

Aunque este territorio estaba poblado por miles de nativos, Cabrillo lo reclamó como parte de Nueva España. Pero como para los españoles estos pueblos nativos no eran "avanzados" y como no había una agricultura significativa, se creyó que la región no sería muy útil. Por lo tanto, fue ignorada por la Corona española.

Pasaron más de treinta años hasta la llegada de otro europeo a Puerto de los Reyes, en 1579. Esta vez, se trataba de un inglés: *sir* Francis Drake. Drake, ignorante quizás del reclamo español sobre el territorio, lo reclamó para Inglaterra. Sin embargo, él y su tripulación no permanecieron allí mucho tiempo. Nova Albión, como la bautizó Drake, era apenas una escala de un viaje mucho más largo: uno que lo convertiría en la segunda persona en **circunnavegar** el planeta.

En 1602, un tercer europeo navegó hasta la costa de California, el explorador español Sebastián Vizcaíno. Antes de retornar, Vizcaíno llegó hasta la tierra que bautizó como Bahía de Monterrey. Una vez más, el territorio al que los españoles llamaron **Alta California**, pasó a formar parte de la Nueva España. California, básicamente, volvió a ser ignorada.

Este mapa de 1847 muestra una gran parte de México, anteriormente Nueva España, que incluía la Baja California y la Alta California. El mapa se hallaba anexado al Tratado de Guadalupe Hidalgo.

La actitud de España frente a la Alta California cambió en 1769. Había dos motivos. Uno fue la creciente influencia de Gran Bretaña en la parte oriental de Norteamérica. El otro, la creciente presencia de Rusia en lo que hoy es Alaska. Para impedir que el territorio de la Alta California cayera en manos británicas o rusas, España fomentó su colonización. Para tal fin, construyó muchas **misiones** en la región: veintiuna en total. Una misión era un asentamiento religioso construido para establecerse en un lugar y convertir a los pueblos nativos al cristianismo. Estas misiones se extendían a lo largo de la costa de la Alta California, desde San Diego, en el sur, hasta Yerba Buena, al norte. España construyó también cuatro **presidios** (fuertes españoles) y fundó seis **pueblos** para darles sostén. Por último, España otorgó grandes concesiones territoriales, llamadas **ranchos**, a los eventuales colonos.

España logró impedir que la Alta California cayera en manos de los soldados ingleses o rusos, pero no pudo protegerla de una tercera amenaza: México. En 1810, los

España construyó veintiuna misiones cerca de la costa californiana.

revolucionarios mexicanos tomaron las armas y se rebelaron contra sus guardianes españoles en un conflicto que hoy conocemos como la guerra de Independencia de México. Tras poco más de una década, en 1821, España perdió la batalla ante los combatientes mexicanos. México ganó su independencia y, con ella, todos los territorios españoles de Norteamérica, incluyendo la Alta California.

La Alta California no era de mucha importancia para el nuevo Gobierno mexicano. Por un lado, estaba bastante lejos de la Ciudad de México, que era la capital del joven país. Por el otro, pese a los esfuerzos españoles por seducir a los colonos para que fueran a la región, esta seguía escasamente poblada y, por ende, no generaba muchos ingresos por impuestos. De hecho, a principios de 1836, México pasó a la Alta California de la categoría de "territorio" a la de "estado", fusionándolo con la región del sur, llamada Baja California, y formando así un único departamento. Pero la Alta California seguía siendo un puesto distante.

La Alta California se convierte en territorio estadounidense

En 1846, estalló un conflicto entre México y Estados Unidos por el estado de Texas. Diez años antes, durante la Revolución de Texas, Texas se había separado de México y declarado su independencia. México, sin embargo, no lo había aceptado. Las tensiones aumentaron nueve años después, cuando Estados Unidos **anexó** Texas y le otorgó condición de estado. Según México, el territorio de Texas seguía perteneciéndole. Los soldados mexicanos lanzaron numerosos ataques a los estadounidenses a lo largo de la frontera entre Texas y México. En respuesta, Estados Unidos le declaró la guerra. Esta guerra, llamada mexicano-estadounidense duraría casi dos años.

En palabras del senador por Nueva York, William L. Marcy, en 1828: "Al vencedor van los despojos". Esto fue cierto para México cuando derrotó a España y también para Estados Unidos cuando derrotó a México. El 2 de febrero de 1848, representantes de Estados Unidos y México firmaron el Tratado de Guadalupe Hidalgo. El documento puso fin a la guerra mexicano-estadounidense y concedió 500,000 millas^2 (1.3 millones km^2) de territorios mexicanos, entre ellos Texas y la Alta California, a Estados Unidos.

México no estaba contento por la pérdida de la Alta California pero tampoco muy perturbado. A fin de cuentas, en el lugar vivían menos de 12,000 personas. Sin embargo, las autoridades mexicanas podrían haber tenido otro sentimiento de haber tenido una importante información: justo nueve días antes de la firma del Tratado de Guadalupe Hidalgo, un colono estadounidense había encontrado oro al norte de la Alta California. Este descubrimiento encendería la fiebre del oro de California y alteraría para siempre el curso de la historia estadounidense.

El Destino Manifiesto

Para Estados Unidos, la guerra mexicano-estadounidense no se trataba solo de defender su reclamo sobre Texas. Había otro motivo: creía en el **Destino Manifiesto**. De acuerdo con esta idea, Estados Unidos no solo tenía derecho a extender su territorio y su forma de vida por toda Norteamérica, sino que era su deber.

Los primeros indicios de esta opinión se observaron en John Quincy Adams en 1811. Adams era hijo del presidente estadounidense John Adams y más adelante también sería presidente. Adams escribió:

> Todo el continente de Norteamérica parece destinado por la Divina Providencia a ser poblado por una nación, a hablar un idioma, a profesar un sistema general de principios políticos y religiosos, y a acostumbrarse a un tenor general de usos y costumbres sociales.

Esta opinión, llamada luego "continentalismo", atrajo a muchos estadounidenses. Más adelante tomaría un nuevo nombre. En 1845, el periodista John L. O'Sullivan acuñó el término "Destino Manifiesto". Para O'Sullivan "la realización de nuestro Destino Manifiesto consiste en extenderse por el continente asignado por la Providencia para el libre desarrollo de nuestros millones de habitantes que se multiplicarán con los años".

La noción de Destino Manifiesto se afianzaba en dos importantes creencias. La primera, que el pueblo estadounidense y sus instituciones poseían virtudes especiales. Aún hoy, bajo la expresión "excepcionalismo estadounidense", muchos continúan fomentando esta idea. La segunda fue que tanto el destino como la responsabilidad de Estados Unidos era transformar el Oeste estadounidense a su imagen. En pocas palabras, según el reconocido historiador Reginald Horsman, los estadounidenses creían tener una "superioridad innata" y "estaban destinados a brindar un buen gobierno, prosperidad comercial y cristianismo al continente americano y al mundo". El hecho de que la expanción hacia el Oeste con frecuencia significara que estaban invadiendo tierras ya ocupadas por nativos no planteaba ningún conflicto a los estadounidenses. Como lo indicó Horsman, su Destino Manifiesto sostenía que estas denominadas razas inferiores "estaban destinadas a una condición subordinada o a la extinción".

Con la anexión de la Alta California, cuyo nombre finalmente fue acortado a California, la visión estadounidense del Destino Manifiesto por fin se había hecho realidad. Estados Unidos de América ahora se extendía "desde un mar brillante a otro".

A la larga, la noción de Destino Manifiesto evolucionaría hasta incluir la expansión en ultramar. Un ejemplo fue la anexión de la República de Hawái en 1898, una adquisición que el presidente William McKinley describió incluso como parte del Destino Manifiesto. Más adelante, se usaría esta frase para describir la presunta obligación de Estados Unidos de promover y preservar la democracia en el extranjero (algo que hoy siguen creyendo muchos estadounidenses).

James Wilson Marshall

James Wilson Marshall nació en Lambertsville, Nueva Jersey, en octubre de 1810. A los veinticuatro años, Marshall se mudó al Oeste, radicándose primero en Indiana, luego en Illinois y por último en Misuri, donde se dedicó a la agricultura. En Misuri, Marshall contrajo paludismo, una enfermedad común por aquella época. Tras una larga convalecencia, Marshall decidió ir en busca de un clima más clemente. Decidió establecerse en California, y llegó allí en el verano de 1845.

Marshall se radicó en Nueva Helvecia, una comunidad fundada por un alemán de origen suizo llamado John Augustus

James Wilson Marshall

John Augustus Sutter

Sutter. Sutter había llegado cinco años antes, cuando todavía era un estado mexicano. Sutter había solicitado tierras al Gobierno mexicano y se le habían otorgado 50,000 acres (20,235 hectáreas). Allí Sutter fundó Nueva Helvecia.

Nueva Helvecia se encontraba en el Valle Central, cerca de la San Francisco moderna. El asentamiento, situado en la confluencia del río Americano (llamado así por Sutter) y del río Sacramento, estaba compuesto por un inmenso fuerte, llamado Fort Sutter, así como talleres, espacio para almacenes y viviendas. El teniente del Ejército estadounidense William Tecumseh Sherman (entonces apostado en California pero que luego ganaría fama como general de la Unión en la guerra de Secesión) describió el fuerte:

> El fuerte… tenía muros de adobe, medía unos veinte pies de altura, era rectangular y poseía casas en bloque de dos pisos en esquinas diagonales. Se entraba por un enorme portón, abierto durante el día y cerrado por la noche, con dos cañones navales de hierro en las cercanías.

> Dentro había una gran casa, con un buen techo de tejas, usado como galpón, y todo alrededor de los muros había habitaciones en fila, siendo la pared del fuerte la pared exterior de la casa. La pared interior también era de adobe. El capitán Sutter y su gente usaban estas habitaciones. Tenía un taller de herrería, otro de carpintería, etc., y también habitaciones donde las mujeres tejían mantas.

Cuando Marshall llegó a Nueva Helvecia en 1845, Sutter lo contrató como carpintero. Dos años después, se asociaron para construir un aserradero impulsado por agua. Sutter quería construir una ciudad como era debido y necesitaba madera para completar el proyecto. Marshall supervisaría la construcción y operación del aserradero. A cambio, Sutter le entregaría parte de la madera del aserradero.

Marshall buscó un lugar para emplazar el aserradero. Decidió que el sitio ideal sería Coloma. El lugar se encontraba a 40 millas (64 km) aguas arriba de Nueva Helvecia, sobre el río Americano, en las estribaciones de una cordillera llamada Sierra Nevada. En el lugar había pinos en abundancia, que

El aserradero de Sutter en Coloma, California, en un grabado de 1853.

brindan una madera excelente. Técnicamente, el lugar estaba fuera de los terrenos otorgados a Sutter. Esto parecía ser intrascendente porque nadie más quería esa tierra. Así, en agosto de 1847, comenzó la construcción del aserradero.

Marshall encuentra oro

La mañana del 24 de enero de 1848, mientras examinaba los avances en el aserradero de Coloma, James Marshall observó unas pepitas brillantes en el cauce del río. Más adelante relataría:

> Tomé una o dos piezas y las examiné con atención; como tenía algunos conocimientos generales de minerales, solo podía pensar en dos cosas parecidas: pirita, muy brillante y frágil, y oro, brillante pero maleable.

Para determinar qué mineral había encontrado, Marshall "lo colocó entre dos rocas y encontró que al golpearlo podía adquirir formas distintas pero no romperse". Las rocas eran oro. Cuando Marshall se dio cuenta de eso, lanzó un grito: "¡Lo encontré!".

Después, Marshall se dirigió a toda prisa, desde el aserradero en Coloma hasta Nueva Helvecia, para compartir con Sutter el hallazgo. El propio Sutter relataría la historia de este encuentro:

> Una tarde, justo después de la siesta, estaba escribiendo una carta a un pariente de Lucerna, cuando me interrumpió el señor [James] Marshall, un caballero con el que solía hacer frecuentes operaciones comerciales, entrando como una ráfaga a la habitación… La mera aparición del señor Marshall en ese momento en el fuerte ya era una gran sorpresa, pues apenas dos días atrás había partido de aquí para hacer algunas modificaciones en el aserradero… Cuando se recuperó un poco, me dijo que por enorme que fuera mi sorpresa por su imprevista reaparición, mayor sería

(Continúa en la página 18)

¿Por qué es valioso el oro?

Por miles de años, la gente ha apreciado el oro. Este metal ha sido muy usado con fines ornamentales pero eso no es todo. También ha sido usado como **divisa** o dinero. Los egipcios y romanos lo empleaban como el principal medio de intercambio.

Para explicar el frecuente uso del oro como divisa en lugar de otros metales o materiales, conviene recurrir al resto de elementos en la tabla periódica. Muchos de estos elementos están en forma gaseosa o líquida, entonces no se pueden usar como divisa. Otros son venenosos, radioactivos o demasiado reactivos, o no pueden distinguirse físicamente de otros. Por último, los elementos que son difíciles de fundir, son endebles o tienden a corroerse no alcanzan a cubrir la calidad.

Esta moneda de oro de la antigua Grecia muestra a Alejandro Magno.

De los 118 elementos de la tabla periódica, apenas ocho emergen como competidores para servir de divisa y son llamados "metales nobles". Estos son rutenio, rodio, paladio, plata, osmio, iridio, platino y oro. Estos metales comparten dos importantes características. En primer lugar, apenas reaccionan con otros elementos, lo que quiere decir que no se corroen ni explotan. En segundo lugar, son relativamente raros. Algunos de ellos son tan raros que son casi imposibles de encontrar y otros son extremadamente difíciles de extraer del suelo. Esto los convierte en malos competidores para su uso extendido como divisa. Por eso, solo el oro y la plata quedan como opciones viables. El que ambos sean considerados bellos aumenta su valor en la mente de la gente.

El oro no tiene ningún valor intrínseco. No se puede beber ni comer. Sin embargo, ha sido una importante parte de la sociedad por miles de años y es probable que siga siéndolo.

> cuando escuchara la información que había venido a darme. "Información", añadió, "que de hecho, si la aprovechamos bien, nos pondrá a ambos en posesión de una riqueza inaudita de millones y millones de dólares". Debo confesar honestamente que cuando escuché esto pensé que algo había afectado el cerebro de Marshall; pero, de repente, toda mi desconfianza se acabó cuando él arrojó sobre la mesa un puñado de pepitas de puro oro virgen. Me quedé atónito.

Un rechazo para Sutter

Al principio, Sutter intentó mantener en secreto el descubrimiento de Marshall. Quiso asegurarse la propiedad de la parcela donde se encontraba el aserradero antes de que se esparciera la noticia. Para ello, hizo la solicitud al gobernador interino de California, el coronel Richard Barnes Mason del Ejército estadounidense. Mason se la denegó. El teniente William Tecumseh Sherman, bajo las órdenes de Mason, explica:

> Ninguna ley de Estados Unidos se aplicaba todavía a [California], mucho menos las leyes sobre tierras o las leyes sobre derecho preferente de compra, que solo podrían aplicarse luego de una investigación pública. Por lo tanto, era imposible que el gobernador le prometiera (a Sutter) un título sobre la tierra.

Sherman agregó entonces que "puesto que no había asentamientos dentro de las cuarenta millas, era poco probable que [Sutter] fuese molestado por intrusos".

Resultó que Sherman no podría haber estado más equivocado. La noticia del descubrimiento de Marshall se filtró y la tierra de Sutter fue invadida.

CAPÍTULO DOS

La fiebre se contagia

Poco después de que Marshall encontrara el oro, un trabajador del aserradero de Sutter hizo correr la noticia. Esta llegó muy pronto a un empresario llamado Sam Brannan, propietario de una tienda de ramos generales cerca de Nueva Helvecia, la única del lugar. Brannan se dirigió rápido a Coloma, donde confirmó los rumores. Entonces surtió su tienda con cada pico, pala y cubeta que encontró, todo lo que necesitaría un aspirante a gambusino, o buscador de oro o minero. Finalmente, en mayo de 1848, Brannan llevó un frasco con pepitas de oro a la cercana Yerba Buena (que para entonces ya se llamaba San Francisco). "¡Oro!", pregonaba a los transeúntes a su paso: "¡Oro! ¡Oro del río Americano!".

Mientras se corría la voz sobre el descubrimiento de Marshall en el aserradero de Sutter en Coloma, multitudes de gambusinos iban para allá. La primera ola llegó desde Nueva Helvecia. De hecho, quedó completamente abandonada por sus residentes, que partieron a buscar el oro. Luego llegaron los gambusinos de la vecina San Francisco, que pronto se

Gambusinos lavando oro en una cajón alargado, llamado *long tom*, en Auburn Ravine, California, en 1852.

transformó en una verdadera ciudad fantasma. Después arribaron los esperanzados buscadores de oro de toda California. El periódico *Californian* escribió:

> En el país entero, desde San Francisco a Los Ángeles, y desde la costa hasta la base de la Sierra Nevada, resuena sonoro el grito: ¡ORO, ORO, ORO!, mientras se dejan los campos a mitad de sembrar, las casas a mitad de construir y todo se descuida salvo la fábrica de palas y picos.

Esto fue apenas el comienzo.

Auge y caída de Sam Brannan

Sam Brannan nació en Saco, Maine, en 1819. De adolescente, aprendió el oficio de impresor. En 1842, Brannan se unió a la Iglesia mormona. En 1846, enfrentados a la creciente persecución, los jefes de la Iglesia mormona decidieron partir hacia el Oeste de Estados Unidos. Casi todos los mormones siguieron a Brigham Young hasta Utah pero algunos acompañaron a Brannan hasta Yerba Buena, adonde llegaron en julio de 1846. Finalmente, Brannan se trasladó a Nueva Helvecia, donde abrió un almacén de mercancía general.

Cuando James Marshall encontró oro cerca del aserradero de Sutter, la casualidad hizo que Brannan estuviera en posición de capitalizar ese descubrimiento. Brannan pronto se convirtió en el primer millonario de California. Con las ganancias, compró grandes extensiones de terreno en California, construyó muchos edificios en San Francisco y luego en Sacramento. También estableció un lucrativo negocio de transporte, ayudó en el desarrollo de bancos y compañías de telégrafo y fue la fuerza impulsora tras la construcción del ferrocarril Central Pacific. Por una serie de malas decisiones empresarias y personales, Brannan fue excomulgado por la Iglesia mormona, perdió su fortuna y murió sin un centavo a la edad de 70 años.

Sam Brannan, el primer millonario de California.

Las restricciones geográficas

Durante la primavera y el verano de 1848, miles de personas de toda California se dirigieron a Coloma. Pronto, sin embargo, esta avalancha de mineros en la Sierra Nevada se desaceleró y redujo bastante. Por una sencilla razón: las noticias del descubrimiento de Marshall tardaron en difundirse al resto del país. Si bien Samuel Morse había demostrado el telégrafo en 1844, todavía no estaba construida la primera línea de telégrafo transcontinental. Además, aunque hacía rato que los ferrocarriles habían entrelazado la parte oriental de Estados Unidos, virtualmente no se había tendido ninguna vía al oeste del río Misisipi. En 1848, cuando Marshall encontró el oro, las noticias desde California a la costa este seguían viajando por barco o a caballo, por lo que se tardaban meses.

Finalmente, en septiembre de 1848, casi nueve meses después que Marshall descubriera oro, el *New York Herald* publicó una breve noticia al respecto:

> DE INTERÉS DESDE CALIFORNIA — Hemos recibido una interesante noticia desde California. Es del 1 de julio… Se relaciona con el importante descubrimiento de una mina de oro muy valiosa. Hemos recibido una muestra del oro.

El público estadounidense se mostró escéptico pero en diciembre de 1848, el presidente James K. Polk confirmó el hallazgo de Marshall en un discurso pronunciado ante el Congreso:

> Los relatos de la abundancia de oro en ese territorio son de un carácter tan extraordinario que difícilmente podrían creerse de no haber sido corroborados por informes auténticos de los funcionarios públicos.

Publicidad de un pasaje a California, hacia 1850.

De pronto, el escepticismo se transformó en una frenética excitación. Como se informó en el *New York Herald*, los relatos del oro en California "determinaron al público a embarcarse en una carrera hacia la locura". En todo Estados Unidos, e incluso alrededor del planeta, la gente abandonaba el trabajo, embalaba su casa y se dirigía hacia California.

Una difícil travesía

En 1849, llegaron a California unos 80,000 gambusinos (buscadores de oro). La mayoría de estos mineros, conocidos como ***los del 49***, eran hombres. Tenían algo en común: un optimismo febril. ¡Cada uno de ellos creía que se haría rico de golpe!

Casi la mitad de *los del 49* llegó por mar. Los barcos zarpaban de la costa este, navegaban alrededor del extremo sur de América del Sur y de allí viajaban al norte, hacia San Francisco. En promedio, la travesía recorría más de 20,700 millas (33,313 km) y duraba doscientos días. Los primeros, quienes habían viajado por mar, habían decidido partir hacia California incluso antes del discurso de Polk, y llegaron a San Francisco en febrero de 1849. Pronto, el puerto se congestionó con barcos. Ese año, anclaron allí 793 naves, más que en los veinticinco años anteriores juntos.

El resto de *los del 49* llegó por tierra: un recorrido de 1,950 millas (3,138 km) que solía recorrerse entre 120 y 160 días. La mayoría viajaba en carretas cubiertas, aunque muchos venían a caballo o en mula, y algunos incluso a pie. La ruta, llamada la Ruta de California, comenzaba en el río Misuri, cruzaba Nebraska y Wyoming, y se torcía hacia el noroeste hacia Idaho. Desde allí, serpenteaba hacia el sur, pasaba por la esquina noroeste de Utah y entraba a Nevada hasta que por fin llegaba al norte de California. La primera parte de la ruta, a través de las Grandes Planicies, era relativamente tranquila. Cuando los viajeros ingresaban a las Montañas Rocallosas, el terreno se transformaba en algo casi intransitable. Luego venía un ambiente incluso más inclemente, el desierto. Más allá, se erguía la imponente Sierra Nevada. A los pesares de los viajeros se sumaban las amenazas de enfermedades como cólera, fiebre de montaña, neumonía, fiebre tifoidea y difteria. No es de sorprender que muchos murieran durante la travesía.

Condiciones de vida deprimentes

La vida en las minas de oro no era mucho más fácil. La mayoría de los gambusinos vivía en carretas, tiendas o casuchas, pero algunos simplemente dormían sobre el suelo. A la larga, los mineros construyeron alojamientos más sólidos, aunque estos no fueran mucho más que chozas. Bajo estas primitivas condiciones de vida, un cambio en el clima podía significar la muerte.

Algunos mineros se agrupaban para construir grandes campamentos en los lugares donde buscaban el oro. Estos lugares sin ley tenían nombres como "Tosco pero Eficaz" y "Ciudad de los Ahorcados". Más adelante, se establecieron ciudades para atender a estos mineros. En ellas había restaurantes, salones, tiendas, una barbería, un sastre, un consultorio médico, un despacho de abogado, un banco y una iglesia.

La comida de los campamentos distaba mucho de ser apetitosa. Esto se debía, en parte, a que los dueños de las tiendas

Los restos de la vivienda primitiva de un minero, excavada en la ladera de una colina en California.

cobraban precios escandalosos por la comida. Un simple huevo o una rebanada de pan costaban un dólar, casi como veintisiete dólares de hoy. Por eso, los mineros solían comer tocino podrido, charqui de carne viejo o frijoles. Las frutas y verduras escaseaban, por lo que muchos mineros contraían enfermedades como el escorbuto. Muchos simplemente pasaban hambre.

Quizás peor que las arduas condiciones de vida, la naturaleza sin ley de los campos, la comida asquerosa y la amenaza de enfermedades o incluso de muerte, era la soledad que padecían los mineros. En busca de fortuna, muchos habían dejado atrás a sus familias y las extrañaban.

Una labor agobiante

Al principio, era fácil detectar el oro. Los gambusinos solían encontrarlo en las orillas de los lechos de piedra de los arroyos y ríos, y simplemente lo recogían. Esto era lo que llamaron ***oro de placer*** u ***oro de aluvión***. Al principio, como los gambusinos eran relativamente pocos, allí había bastante oro de placer. Por eso, muchos de los primeros gambusinos se hicieron ricos con poco esfuerzo. El teniente Sherman observa:

> Supimos de hombres que han ganado cincuenta, quinientos y miles de dólares por día, y por un tiempo se pensó que alguien encontraría oro sólido.

Eso cambió en 1849. Mientras miles y miles de gambusinos llegaban a California, los campos con oro se atiborraban de mineros. En poco tiempo, el oro que estaba simplemente sobre la tierra había sido recogido. Para hallar y extraer el oro se necesitaban técnicas trabajosas.

Una de estas técnicas era el **bateo**. En ella se utiliza una batea ancha y poco profunda para recoger la arena gruesa en las orillas o debajo de un río o torrente, y luego se la agita en el agua. El oro es más denso que los otros minerales, por lo que el oro que está en la arena se asienta en el fondo de la batea y todo el resto se va con el agua. Otra técnica de extracción se realiza con una **caja de esclusa**, una herramienta parecida a

Los gambusinos que buscaban oro con bateas colmaban las orillas de los torrentes de California, como muestra este grabado realizado de cerca de 1850.

La provisión de mercadería

Los gambusinos necesitaban muchos suministros. Entre ellos, una pala, un pico y una batea. Además, cada uno solía comprar una cobija, una carpa y alimentos, como tocino, charqui, frijoles, harina, azúcar, té y café. Si les sobraba algo de dinero, quizás podían llegar a comprar una lámpara, una tetera, una bandeja para hornear, un hacha, una azada y un balde. Estos artículos eran caros. En una tienda de ramos generales, las bateas comunes usadas en minería se vendían entre $8 y $16 ($215 y $430 de hoy). Por eso, los comerciantes ganaron mucho más dinero que muchos mineros durante la fiebre del oro de California.

una mecedora de bebé. Con una caja de esclusa, tres hombres podían trabajar juntos para procesar mayores cantidades de arena gruesa. Un hombre sacaba la arena con pala y la colocaba en un cubo. Un segundo hombre transportaba el cubo de arena hacia la caja de esclusa y lo vaciaba en ella. El tercero vertía agua en la caja de esclusa para lavar la arena, haciendo mecer la máquina hacia atrás y adelante, para separar el oro.

Todas estas técnicas implicaban una tarea manual que lesionaba la espalda. Por supuesto, sin garantía de éxito. Muchos gambusinos, en particular los que llegaron tarde a la fiebre del oro, se desilusionaron. Algunos volvieron a sus hogares. Otros, sin dinero para el pasaje de regreso, permanecieron en California, desamparados.

Invasores

A principios de la fiebre del oro, los gambusinos no pagaban aranceles ni impuestos por el oro encontrado. Más adelante, las autoridades exigieron a los gambusinos que "reclamaran el derecho mediante estacas". Esto es, los gambusinos clavaban estacas en la tierra para reclamar el derecho sobre el área donde querían buscar oro, luego registraban el reclamo ante las autoridades locales y pagaban un pequeño arancel. Más adelante, los especuladores tomaron el control e hicieron disparar el precio de los reclamos. Muchos gambusinos, sin embargo, no podían pagar estos precios tan altos. Vivían como **invasores**, ocupando y haciendo extracciones de forma ilegal en tierras de otros.

En 1850, las autoridades acusaron a un invasor, John T. Madden, de la ocupación ilegal de la tierra de John Sutter. El lugar estaba cerca de Sacramento, ciudad fundada a principios de ese año. En respuesta, Madden argumentó que como las tierras de Sutter habían sido otorgadas por el Gobierno mexicano, esto no tenía vigencia. Madden perdió el caso, pero muchos otros invasores se sumaron a su defensa, prometiendo, como dijo el senador por California ,William M. Gwin, "resistir hasta la muerte cualquier mandato procedente de nuestros tribunales". La policía pronto arrestó a muchos de estos invasores y los encarceló.

En protesta, otro invasor llamado Charles L. Robinson, movilizó una milicia. El alcalde de Sacramento, Hardin Bigelow, reunió su propia fuerza para confrontarlos. Bigelow ordenó a los hombres de Robinson que se retiraran. Estos, en cambio, les dispararon. En el enfrentamiento, salieron heridos Bigelow y Robinson. Murieron cinco personas, entre ellas dos que no tenían nada que ver.

A la larga, el conflicto entre invasores y especuladores se resolvería por sí solo, pues la especulación sobre las tierras que había provocado las invasiones llegaría a su fin.

La resistencia de la población nativa

Se podría decir que cada colono que se establecía en las minas de oro o cerca de ellas era, de hecho, un invasor. Después de todo, desde hacía mucho tiempo, estas tierras habían sido pobladas por nativos americanos.

Cuando los primeros europeos llegaron a California en 1769, había unos 300,000 nativos, distribuidos entre más de un centenar de tribus. Entre estos nativos estaban las tribus cahuilla, chumash, karok, maidu, miwok, modoc, mojave, ohlone, pomo, paiute, serrano, shasta, tataviam, tongva, wintu y yokuts.

Los europeos estaban lejos de ser los primeros en reclamar el derecho a las tierras en el norte de California. Los nativos americanos habían vivido en ellas por milenios.

Durante la fiebre del oro, mientras se incrementaba desmesuradamente la cantidad de gambusinos de California, los nativos americanos eran expulsados en masa. Esto incluía a las tribus de las regiones montañosas que no habían sido muy afectadas por la misiones, en donde las enfermedades habían matado a miles de nativos. Expulsados de sus zonas tradicionales de caza, pesca y recolección de comida, muchos murieron de hambre. Las tribus del interior murieron a causa de las enfermedades traídas por los recién llegados. También hubo otros simplemente asesinados por los colonos, que no los consideraban seres humanos sino simples obstáculos en su búsqueda de oro. Con frecuencia, los pocos nativos americanos que quedaban fueron sometidos.

No sorprende que las tensiones fueran en aumento entre los nativos y los colonos. Hubo frecuentes enfrentamientos. Eventualmente, se formaron grupos de vigilantes para proteger a los colonos de los habitantes nativos, aunque su misión podría ser descrita mejor por la palabra "genocidio". A veces, mataban hasta cincuenta nativos en un día.

Los afroamericanos, igual que los blancos, fueron atraídos a California por la fiebre del oro. Este gambusino busca oro en Auburn Ravine, California, cerca del año 1852.

CAPÍTULO
TRES

Una migración histórica

Cuando estalló la guerra mexicano-estadounidense, en 1846, la población de la Alta California, por entonces un estado mexicano, era bastante pequeña. De hecho, allí vivían menos de 10,000 californios (nombre dado a los pobladores hispanohablantes de la Alta California), 1,300 ciudadanos estadounidenses y 500 europeos. Aunque se desconoce cuántos nativos americanos había, los estimados calculan unas 150,000 personas.

Cuatro años más tarde, el gobierno estadounidense realizó un **censo**. Este reveló que la población se había multiplicado más de 10 veces y había más de 120,000 personas no nativas. Un segundo censo, en 1852, indicó que la población había crecido aún más, a 200,000 personas. Los expertos estiman que para 1855, unos 300,000 colonos habían llegado a la región. Hoy viven en California casi 40 millones de personas, más que en cualquier otro estado de la Unión.

Mientras el número de colonos blancos en California crecía de modo vertiginoso, la población nativoamericana

(Continúa en la página 33)

Las mujeres en la fiebre del oro de California

La mayoría de las personas que se instalaron en California durante la fiebre del oro eran hombres. De hecho, según el censo de 1850, había once hombres por cada mujer, excluyendo a los nativos americanos).

Las pocas mujeres que llegaron a California durante la fiebre del oro, por lo general, lo hicieron acompañando a sus esposos. Algunas trabajaban a su lado en la búsqueda de oro. Otras abrieron negocios para atender a la siempre creciente comunidad minera. Las mujeres horneaban pan o pasteles, lavaban la ropa, alojaban a los huéspedes, remendaban ropa, atendían en restaurantes o eran artistas. Con frecuencia, ellas ganaban más dinero que sus esposos o los mineros a quienes atendían.

No era frecuente que las mujeres se dedicaran a la minería porque ellas podían ganar más dinero haciendo otros trabajos.

Como había tan pocas mujeres en California durante la fiebre del oro, con frecuencia tenían más poder, vivían más libremente y tenían más derechos que las mujeres del Este, incluyendo el derecho a tener propiedades. Esto estaba asegurado por la Constitución de California, que decía:

> Toda propiedad de la esposa, tanto real como personal, que le pertenezca o haya sido reclamada por ella antes del matrimonio, o que fuera adquirida luego por regalo, herencia o descendencia, seguirá siendo un bien separado.

se desplomaba. Para 1870, el primer año del que se tienen datos demográficos de los nativos americanos, apenas quedaban 30,000. Esto representa una merma del 90% de la población nativa en casi un siglo.

El puerto de San Francisco, en un grabado de alrededor de 1851, se llenó de barcos que transportaban hombres y suministros para la fiebre del oro.

Unas prósperas ciudades

Cuando James Marshall encontró oro en 1848, San Francisco era apenas un pequeño asentamiento con 1,000 residentes. Aunque la ciudad quedó casi despoblada cuando se filtró la noticia del descubrimiento de Marshall, pronto volvió a recuperarse y siguió creciendo. Para fines de 1849, vivían unas 5,000 personas en San Francisco. Un año después, la cifra se había sextuplicado a 30,000. Para 1870, la ciudad albergaba casi 150,000 habitantes.

Una sencilla razón explicaba el súbito crecimiento: San Francisco era el punto de escala de los gambusinos que venían por mar. Los recién llegados necesitaban comida,

Muchas ciudades prósperas, como Bodie, fueron abandonadas cuando las vetas cercanas se agotaron.

alojamiento y suministros antes de partir en busca del oro. En respuesta a esta demanda, los emprendedores locales pusieron tabernas, hoteles, tiendas y otros negocios.

San Francisco no era la única ciudad que crecía. Otras también lo hicieron para atender a la creciente población de mineros. Una fue Sacramento, fundada en 1848 cerca de Nueva Helvecia. Hoy, Sacramento es la capital de California. Otra fue Coloma, donde Marshall había encontrado oro en 1848. Para fines de 1849, lo que antes había sido una diminuta ciudad seguía creciendo, tenía 10,000 habitantes y unos 300 edificios, con tiendas, hoteles, salones, casas de apuestas y otros negocios. Otra ciudad que creció fue Columbia, fundada en 1850, cuando los gambusinos encontraron oro en las inmediaciones. Durante un tiempo, fue la segunda ciudad de California y su población llegó a 20,000 habitantes. En algunas de estas prósperas ciudades, sin embargo, la tendencia luego se revirtió. Por ejemplo, cuando los mineros de Coloma encontraron **vetas** ricas en otros sitios, pronto abandonaron la ciudad. Para 1870, apenas quedaban 200 residentes.

¿Qué sucedió con el oro?

Al principio, los gambusinos pagaban sus suministros, alimentos, alojamiento o entretenimiento con el oro encontrado. Los comerciantes que recibían el oro como pago de los gambusinos lo usaban luego para comprar provisiones a sus proveedores, por ejemplo, a los capitanes de los barcos que importaban mercaderías de fuera.

Finalmente, los empresarios locales fundaron bancos. Allí, los gambusinos podían cambiar el oro por billetes de banco, que eran aceptados localmente como papel moneda. Para 1849, los bancos comenzaron a acuñar monedas con el oro encontrado por los mineros. Estas también eran aceptadas como divisa. En 1854, otro participante entró en la refriega: el Gobierno de Estados Unidos. Ese año, abrió la Casa de la Moneda de San Francisco.

Parte del oro fue enviado al Este. Por lo general, el oro se llevaba en **diligencia**. El conductor de la diligencia guardaba el oro detrás de él en un cofre cerrado. Junto a él, se sentaba el escopetero, un guardia armado con una escopeta (de allí el

Esta foto de la película *La diligencia*, de 1966, muestra al escopetero.

Los bandidos

Algunas personas sacaban el oro del suelo. Otras, como Reelfoot Williams ("Pata de Palo" Williams), simplemente lo robaban. En 1852, Williams y otro bandido, Rattlesnake Dick ("Serpiente de Cascabel" Dick), formaron una pandilla. Estos bandoleros robaban las diligencias que transportaban el oro desde California hasta la costa este.

Otro famoso forajido fue el californio Joaquín Murrieta. Según la historiadora Susan Lee Johnson, "parece existir consenso de que los anglos lo expulsaron de una rica concesión minera y que, en rápida sucesión, violaron a su esposa, lincharon a su medio hermano y azotaron con un látigo al propio Murrieta".

En venganza, Murrieta, a quien muchos californios consideraban un héroe folclórico y al que muchos estadounidenses veían como un bandido, reunió una pandilla y mató a seis de los colonos que habían atacado a él y a su familia. La pandilla de Murrieta también atacaba al azar a colonos y caravanas de carretas; hasta que un grupo de los Rangers del Estado de California lo mató en un enfrentamiento, en 1853.

origen de la expresión aún popular en inglés "*riding shotgun*", que se entiende como ir de acompañante del conductor). Pese a estas precauciones, los bandidos solían atacar estos vehículos.

California se convierte en estado

Cuando Estados Unidos adquirió California luego de la guerra de mexicano-estadounidense, no era clara la situación de la región. No era un estado porque el Congreso no le había otorgado esa condición. Tampoco se consideraba un territorio formal de Estados Unidos. De hecho, estaba gobernada por militares, como el coronel Richard Barnes Mason.

Esta imagen de 1855 muestra al senador Henry Clay en el debate por el Compromiso de 1850.

Esto era poco usual. Por lo general, cuando Estados Unidos adquiría nuevos territorios, al principio eran considerados como territorios formales, como el territorio de Luisiana. Finalmente, tras reunir ciertos criterios, se les otorgaba la condición de estado. Con frecuencia esto tardaba varios años. En contadas situaciones, sin embargo, el Congreso otorgaba la inmediata condición de estado, como lo hizo con Texas en 1845.

California no estaba en ninguna de estas categorías. Esto se debía a un motivo: el Congreso no se ponía de acuerdo sobre si California debía ser un **estado esclavista** o un **estado libre**. Los legisladores del Sur querían extender la esclavitud hacia la costa del Pacífico; los del Norte, no.

Quizás el Congreso no estuviera listo para rectificar esto pero sí lo estaban los californianos. Pronto surgió un movimiento para exigir la condición de estado. Esto se debía fundamentalmente a su crecimiento demográfico. Los recién llegados, en su mayoría ciudadanos estadounidenses, querían estar mejor representados en el Congreso.

El general Bennet C. Riley, que asumió la gobernación militar de California en abril de 1849, convocó una

Convención Constituyente en junio de ese año. Los delegados de la convención fueron elegidos por voto secreto el 1 de agosto. En septiembre, los delegados se reunieron en Monterrey, donde elaboraron el borrador de la Constitución del estado, similar a la Constitución de Estados Unidos. Con relación a la esclavitud, la Constitución de California afirmaba:

> Ni la esclavitud, ni la servidumbre involuntaria, salvo por el castigo de los delitos, se tolerarán jamás en este estado.

En noviembre de 1849, los californianos ratificaron la nueva constitución por voto popular. Poco después, un Gobierno provisional trazó los límites de los condados, eligió un gobernador, los senadores del estado y sus representantes. Este gobierno eligió también la capital estatal: San José. Esto sería temporal. Hoy, Sacramento es la capital de California. Sin embargo, la condición de California dentro de la Unión seguía sin ser clara.

Finalmente, en septiembre de 1850, el Congreso aprobó el Compromiso de 1850. Esto incluía una serie de proyectos de ley que buscaban resolver el conflicto entre los estados del norte y del sur sobre la esclavitud. Uno de ellos le otorgó a California su condición de estado. California, el trigésimo primer estado de la Unión, sería un estado libre.

Claramente, la fiebre del oro había sido clave en la decisión del Gobierno estadounidense de otorgarle a California su condición de estado. Después de todo, alentó a centenares de miles de personas a inmigrar a la región. Esto explica el motivo por el cual el sello del estado incluye la imagen de un gambusino. El lema del estado, "Eureka", es también otra referencia a la fiebre del oro. Es la palabra griega que significa "lo encontré", las palabras que pronunció James Marshall al descubrir oro. Por supuesto, también el apodo de California, "el Estado Dorado", deriva de la fiebre del oro. Las alusiones a la fiebre del oro aparecen además en los carteles que marcan las carreteras estatales, en forma de pala, o en el nombre de su equipo de fútbol americano, los San Francisco 49ers.

La fiebre del oro sigue su curso

Al principio, los gambusinos buscaban oro por Coloma o sus alrededores, cerca del aserradero de Sutter. Sin embargo, el área pronto se quedó sin nada. A partir de allí, buscaron aguas arriba para tratar de hallar el origen del oro, incrustado en el cuarzo bajo la tierra. Con el tiempo, los mineros descubrieron esta fuente, o veta, a la que llamaron *veta madre*. Comprendida dentro de un área que medía entre 1 y 4 millas (1.6 y 6.4 km) de ancho por 120 millas (193 km) de largo, la veta madre contenía depósitos de oro de casi 50 pies (15 metros) de espesor y varios centenares de metros de largo.

La veta madre se había formado durante cientos de millones de años de actividad geológica, que incluía erupciones volcánicas, movimiento de placas tectónicas y erosión. Los mineros de California tardaron mucho menos tiempo en despojarla de todo el oro. Entre 1848 y 1853, los gambusinos extrajeron unas 370 toneladas (335 toneladas métricas) de oro de las minas de California, algo que hoy costaría más de $16,000 millones. Durante 1852, el año pico de la fiebre del oro, los mineros acarrearon 3,9 millones de **onzas troy** del metal. (Una onza troy es una unidad de medida aplicada a los metales preciosos. Equivale a poco más de 31 gramos). Para 1855, la veta madre ya se había agotado. Sin embargo, quedaron algunos rezagados. Finalmente, en 1859, el descubrimiento de plata en la cercana Nevada, en la denominada veta de Comstock, captó su atención. En un alocado desorden, estos y otros gambusinos corrieron a Nevada y el ciclo volvió a comenzar.

La segunda "fiebre del oro" de California

Luego que agotaron la veta madre, algunos de *los del 49* volvieron al Este. Otros, sin embargo, se quedaron en California. Algunos lo hicieron simplemente porque eran demasiado pobres para pagar el

(Continúa en la página 41)

El entusiasmo por los chinos

Unas 15,000 personas emigraron desde China a Estados Unidos durante la fiebre del oro de California. La mayoría no eran gambusinos sino cocineros, lavanderos y sirvientes. En consecuencia, para los buscadores de oro estadounidenses, los inmigrantes chinos eran indispensables. Incluso aquellos chinos que fueron en busca del oro, por lo general, eran tolerados.

Todo cambió cuando el oro comenzó a faltar. Los mineros estadounidenses acusaron a los chinos de robar su riqueza, con el alegato de que el oro de California les pertenecía. En 1852, la Legislatura del Estado de California aplicó un impuesto mensual a los mineros chinos que casi igualaba la mitad de sus ingresos. Si un minero chino no pagaba el impuesto, su propiedad era confiscada y vendida o, peor aún, resultaba muerto. Dos años más tarde, un fallo de la Corte Suprema de California convirtió oficialmente a los chinos en ciudadanos de segunda clase para California. Los jueces dictaminaron que los chinos eran "una raza de personas de naturaleza marcadamente inferior e incapaces de progresar o de tener un desarrollo intelectual más allá de cierto punto".

Los trabajadores chinos fueron discriminados cuando el oro se agotó.

El desarrollo agrícola en California se convirtió en la segunda fiebre del oro del estado.

pasaje de regreso a casa. Otros se quedaron porque les gustaba el lugar.

La tierra de California, habían descubierto, ofrecía algo más que oro; también era fértil. Algunos gambusinos se quedaron para trabajar la tierra y por fin pudieron reunirse con sus familias. De hecho, el siguiente desarrollo a gran escala de la agricultura se hizo conocido como "la segunda fiebre del oro" de California. Como lo destacó el economista Gerald D. Nash, "sin duda, la fiebre del oro fue el mayor estímulo de la agricultura en California en la década de 1850… Miles de personas se convirtieron en pequeños granjeros, viticultores, fruticultores y tamberos. Otros, comenzaron a tener rebaños de ganado bovino y ovino".

Todos estos granjeros, viticultores, fruticultores, tamberos y criadores de ganado vendían sus productos no solo a sus compatriotas sino también a clientes de toda la costa del Pacífico e incluso de la cuenca del Pacífico. "Encontraron que los productos agrícolas de California disfrutaban de un considerable éxito en Asia, al igual que la carne de res y cordero", señaló Nash.

El destino de Sutter y Marshall

Irónicamente, los dos hombres responsables de la fiebre del oro de California, John Sutter y James Marshall, a la larga no se beneficiaron de ella. De hecho, como lo observó James S. Brown, que trabajaba en el aserradero de Sutter cuando se encontró el oro:

> Con el debido respeto al capitán John A. Sutter y a James W. Marshall, a quienes el mundo les

> ha dado el crédito del gran descubrimiento, estoy convencido de que si los hubieran capturado y pegado un tiro para matarlos el día del descubrimiento, habrían sufrido menos y habrían llegado a su encuentro con el Creador con pureza, y hasta con más honores en este mundo, en comparación a lo que tuvieron que sufrir y soportar.

En el caso de Sutter, la fiebre del oro desmanteló el imperio que había construido en el valle central. En primer lugar, el pueblo de Nueva Helvecia creado por Sutter quedó abandonado porque los hombres robustos corrieron a los campos de oro. Segundo, el aserradero no se terminó. Tercero, hordas de invasores ocuparon sus tierras, matando sus rebaños y destruyendo sus cultivos. Sin otra alternativa, Sutter se embarcó en una expedición de exploración que también fue un desastre. En 1852, Sutter se declaró en bancarrota y dijo:

> Por este súbito descubrimiento de oro, mis grandes planes quedaron destruidos. De haber tenido éxito por unos cuantos años, antes de que se descubriera el oro [terminada la construcción del aserradero y otros proyectos para asentar con mucha más firmeza un pie en el lugar], hubiera sido el hombre más rico de la costa del Pacífico, pero fue diferente. Estoy arruinado.

En 1865, Sutter regresó al Este. En muchas ocasiones solicitó sin éxito al Gobierno de Estados Unidos una compensación por las pérdidas sufridas durante la fiebre del oro de California. Sutter falleció a los 76 años, el 18 de junio de 1880.

Marshall perdió su inversión en el aserradero de Sutter porque no lo pudo terminar y fue obligado a abandonar la tierra por las hordas de gambusinos que pronto llegaron. En los años siguientes, Marshall estuvo a la deriva. Plantó un viñedo pero no tuvo éxito. Luego invirtió en una mina de oro, que fue otro fracaso. En 1872, la Legislatura del estado de California le otorgó una pensión a Marshall, que expiró en 1878. Falleció sin un centavo el 10 de agosto de 1885. Tenía 74 años.

CAPÍTULO CUATRO

Consecuencias de la fiebre del oro

La fiebre del oro de California se extendió de 1848 a 1855, un período de apenas siete años. Sin embargo, sus efectos, algunos buenos y otros malos, se sentirían para siempre en California, Estados Unidos y el mundo. De hecho, el descubrimiento de oro en California fue, según el historiador H. W. Brands, un "hecho seminal en la historia, uno de esos raros momentos que dividen la existencia humana en un antes y un después".

Quizás el efecto más obvio haya sido la masiva migración desencadenada por la fiebre del oro de California. En sus palabras, este evento desencadenó el "movimiento masivo de personas más impresionante desde las Cruzadas". La promesa de oro atrajo a centenares de miles de colonos al norte de California. Si bien anteriormente la cantidad de nativos americanos superaba con creces a la de los colonos de origen europeo o mexicano de la región, esto cambió pronto. Cuando terminó la fiebre del oro, California era el hogar de unos 300,000 colonos blancos. Entretanto, la población nativa fue diezmada.

San Francisco ha crecido hasta transformarse en una de las ciudades más modernas y progresistas de la nación.

La cantidad de nuevos habitantes también afectó al medioambiente. Las prácticas mineras tuvieron efectos ecológicos negativos. La autora Kathy Weiser lo explica de este modo: “Mientras los mineros continuaban inventando métodos más rápidos y más destructivos para encontrar oro, la tierra fue arruinada. Las laderas de las montañas fueron lavadas por torrentes de agua y los canales de bajadas en las ciudades se inundaron con enormes cantidades de lodo. Las fuentes de agua se envenenaron con mercurio, arsénico, cianuro, etc. Se talaron muchísimos bosques de roble y pino para sacar madera para la minería”.

Nuevos mercados, una nueva riqueza y una nueva actitud

La migración masiva desencadenada por la fiebre del oro de California ayudó a iniciar “la era moderna del desarrollo económico estadounidense”, afirma H. W. Brands. Gracias a la fiebre del oro y al siguiente giro en la población, se

El efecto de las técnicas mineras, como la minería hidráulica, sobre el medioambiente californiano fue devastador. Grabado de William Hepworth Dixon.

abrieron enormes y nuevos mercados en Estados Unidos y en el extranjero, por ejemplo, para los agricultores de Chile, Australia y Hawái, y para los fabricantes de China que exportaban ropa e incluso viviendas prefabricadas a California. Por supuesto, esto no fue todo. Cuanto más oro encontraban los mineros, más adinerados eran, y también lo era Estados Unidos. Esto, a su vez, fomentó el comercio y las inversiones.

Se produjo además un efecto económico menos tangible. Antes de la fiebre del oro, como lo destaca Brands, el sueño americano era la acumulación de riqueza en cantidades modestas, ganadas año tras año. La fiebre del oro de California cambió eso; el sueño pasó a ser el de la riqueza instantánea ganada por “la audacia y la buena suerte. [Este] sueño dorado… pasó a dominar la psiquis de los estadounidenses solo después del aserradero de Sutter”.

Valor de impacto

La fiebre del oro trajo un resultado económico imprevisto: el impacto monetario. Al momento de la fiebre del oro de California, el Gobierno vinculaba el valor de su divisa (el dólar) al oro, práctica denominada el **patrón oro**. Los países que se adhieren al patrón oro mantienen depósitos de oro, que tiene un valor fijo. El país imprime dinero según la cantidad de oro que posee. El descubrimiento de oro en California alteró este sistema al aumentar de modo impresionante el suministro de oro y, en consecuencia, el suministro de la moneda. Esto causó inflación, que encareció las exportaciones estadounidenses. A su vez, esto creó un déficit en la balanza de pagos de Estados Unidos.

Si bien el patrón oro confería estabilidad a los precios a largo plazo, el impacto a corto plazo, como el experimentado por Estados Unidos luego de la fiebre del oro, a la larga lo hizo menos atractivo. Este es uno de los motivos por los cuales Estados Unidos abandonó el patrón oro en 1973. Sin embargo, todavía hay muchas personas que piden que se vuelva a instaurar. A algunas les atrae su simplicidad, en tanto que para otras es un modo eficaz de anclar los precios en todo el mundo.

El depósito de lingotes de oro de Fort Knox guarda una buena parte del oro de Estados Unidos.

La fiebre del oro fue un importante nivelador económico. En particular, durante los primeros años de la fiebre del oro de California, cualquiera con una cubeta y un pico podía buscar oro. ¡Durante la fiebre del oro, cualquiera podía volverse rico de golpe! Este nuevo sentimiento de movilidad económica pronto se extendería hacia la cultura estadounidense.

El siguiente gran descubrimiento

La fiebre del oro de California concluyó en 1855. Sin embargo, habría más fiebres del oro.

Una de ellas ocurrió en 1875, en Deadwood, Dakota del Sur, cuando los mineros encontraron oro de placer en el arroyo Deadwood Creek. La noticia del descubrimiento se difundió con rapidez. Para principios de 1876, todos los terrenos alrededor del arroyo ya habían sido reclamados por los gambusinos. Ellos sabían que el oro de placer originalmente procedía de una veta de formaciones de cuarzo bajo la tierra y se dispusieron a encontrarlo. En abril de 1876, encontraron una sección con cuarzo que contenía oro cerca de lo que hoy es Lead, Dakota del Sur. El lugar era apenas una pequeña parte de lo que se convertiría en la veta de oro más productiva de la historia de Estados Unidos. De hecho, durante los siguientes 125 años, produciría el 10% de los suministros de oro del mundo.

En el año 1896, se produjo otra fiebre del oro, esta vez en el Klondike, una región del Yukón, al noroeste de Canadá. Comenzó cuando los residentes descubrieron oro de placer en un afluente del río Klondike. Por un tiempo, el mundo exterior no se enteró de este descubrimiento, simplemente porque el Klondike era un lugar muy remoto. No sería hasta casi un año después, cuando los buques a vapor que llevaban unas 3 toneladas (2.7 toneladas métricas) de oro del Klondike llegaron a Seattle y a San Francisco, que se corrió la voz. La noticia provocó una estampida de casi 100,000 gambusinos hacia el Lejano Norte, aunque dada la ardua naturaleza de la travesía, apenas llegaría la mitad. Para 1899, la fiebre del oro de Klondike había terminado.

Ambas fiebres del oro fueron importantes y cada una resultó en el mismo tipo de auge y ruina económica observados en California, pero ninguna se tradujo en la misma y significativa migración hacia los nuevos territorios como sucedió con la fiebre del oro de California.

El ferrocarril del Pacífico

Seducidos por esta nueva frontera, tan atractiva por la fiebre del oro de California, cada vez más y más estadounidenses se mudaron al Oeste. Al principio esto significaba resistir un penoso viaje de varios meses por tierra o por mar.

En 1862, el Congreso aprobó la Ley del Ferrocarril del Pacífico. Esta ley, refrendada por el presidente Abraham Lincoln, sentó las bases para la construcción del ferrocarril del Pacífico. Este ferrocarril se extendería desde Council Bluffs, Iowa, donde se conectaría a las vías existentes que llegaban al océano Atlántico, en Sacramento, California.

El ferrocarril del Pacífico transportó personas y productos agrícolas a través del país.

Las obras del proyecto, financiadas en parte con el dinero de la fiebre del oro, comenzaron en 1863. El ferrocarril fue construido por dos empresas: la Central Pacific Railroad (CPRR) y la Union Pacific Railroad Company (UPRR). Los trabajadores de la CPRR comenzaron el tendido de las vías en Sacramento y se dirigieron hacia el Este. Entretanto, los de la UPRR empezaron en Council Bluffs y fueron hacia el Oeste. (Más adelante, se haría llegar el ferrocarril hasta San Francisco). En los dos, se emplearon miles de trabajadores, muchos de ellos de China.

En mayo de 1869, ambos grupos de vías convergieron en la Cima del Promontorio, Utah. En una ceremonia especial, el presidente del ferrocarril Leland Stanford, quien había migrado a California durante la fiebre del oro donde se había convertido en un exitoso comerciante, golpeó el último clavo del ferrocarril, un clavo de oro, con un martillo de plata. Cuando el ferrocarril, que cubría unas 1,800 millas (2,900 km) estuvo listo, los estadounidenses pudieron viajar seguros desde Nueva York hasta California en solo ocho días por apenas $65.

El ferrocarril del Pacífico no solo trasladó a la gente con rapidez y a bajo costo. También llevó mercancías, entre ellas alimentos. Así, los trenes llevaban carne, cereales, verduras y frutas a pueblos de todo el país. Gracias a vagones especiales con cámara de frío, estas mercancías no se arruinaban. De pronto, una persona de Nueva York podía comer una naranja cultivada en California, ¡en pleno invierno! Los ferrocarriles mejoraron también el servicio postal. Antes, enviar una carta costaba varios dólares la onza. Ahora, salía apenas a unos centavos. Gracias al ferrocarril del Pacífico, las personas de California podían estar en fácil contacto con sus seres queridos del Este.

Quizás lo más importante fue que el ferrocarril del Pacífico unió un país que acababa de ser desgarrado por una sangrienta guerra de Secesión. Como lo describió un artículo del *New York Times* en 1869:

> Los habitantes de la costa del Atlántico y los ocupantes de las laderas del Pacífico de aquí en adelante constituyen enfáticamente un único pueblo.

La guerra de Secesión

El Gobierno estadounidense admitió la inclusión de California a la Unión como estado libre en 1850. Esto tenía varios motivos, algunos virtuosos y otros no tanto. Un artículo publicado en marzo de 1848, en un periódico de Monterrey llamado *Californian*, luego que Marshall encontrara oro pero antes de que la noticia se diera a conocer, decía:

> Sopesamos numerosos motivos por los cuales aquí no debemos introducir la esclavitud. Primero, está mal que exista en cualquier lugar. Segundo, hasta la

> fecha no existe ni un solo precedente de sumisión física de nuestro prójimo. Tercero, no hay excusa alguna para su introducción a este país (por motivo de clima o condiciones físicas). Cuarto, los negros tienen iguales derechos a la vida, libertad, salud y felicidad que los blancos. Quinto, es obligación de cada individuo, hacia sí mismo y hacia la sociedad, estar ocupado en un empleo útil que sea suficiente para mantenerse a sí mismo. Sexto, sería la peor calamidad que el poder de los Estados Unidos pudiera infligir sobre California. Séptimo, queremos que California solo tenga población blanca. Octavo, dejamos los estados esclavistas porque no queríamos criar una familia bajo condiciones miserables, que no se pueda ayudar a sí misma. Noveno, y para concluir, amamos profundamente a la "Unión", pero declaramos nuestra preferencia positiva de una condición independiente de California al establecimiento de cualquier tipo de esclavitud e incluso a la importación de negros libres.

Cuando los californianos se enteraron del descubrimiento de Marshall, su actitud contra la esclavitud se endureció. Como lo observó, Walter Colton, delegado de la primera Convención Constituyente de California:

> Las causas que excluyeron la esclavitud en California son simples. Todos eran buscadores de oro y los blancos que buscan oro no lo hacen con esclavos. Saben que deben buscarlo solos; han venido aquí con ese motivo y no van a degradar su aspiración asociándose con mano de obra esclava. El instinto de conservación es la primera ley de la naturaleza. En abstracto, no tiene nada que ver con la esclavitud ya que existe en otras comunidades. Ellos mismos deben mover el pico y no lo harán al lado de esclavos negros. Ese es el resultado de todo el negocio.

Soldados a la espera de la batalla cerca de Petersburg, Virginia. El ingreso de California a la Unión fue uno de los catalizadores de la guerra de Secesión.

Antes de que California obtuviera la condición de estado, la cantidad de estados libres y de estados esclavistas era pareja en la Unión. La condición de estado libre de California trastornó este delicado equilibrio. El senador por el estado esclavista Carolina del Sur, John C. Calhoun, predijo que la admisión de California en la Unión causaría la "destrucción del equilibro entre el Norte y el Sur, una agitación más intensa del asunto de la esclavitud, una guerra civil y la destrucción del Sur".

La predicción de Calhoun sería pavorosamente precisa, aunque la guerra no llegó sino hasta 1861, luego que la Confederación de Estados del Sur se separara de la Unión en un intento por proteger su derecho a poseer esclavos. Esto sería, sin embargo, infructuoso. En 1865, las fuerzas de la Unión derrotaron a los soldados confederados. Al hacer eso, se abolió la esclavitud en Estados Unidos. Finalmente, argumentó Alexandre Buchner, autor de *Le Conquérant de la Californie* (1869):

> Fue el oro de California lo que asestó el golpe fatal a la institución de la esclavitud en los Estados Unidos.

La fiebre del oro de California demostró ser uno de los elementos clave, no solo en la historia de Estados Unidos sino del mundo. Aún hoy se siguen sintiendo los efectos de este hito.

Cronología

Las fechas en color verde corresponden a hechos abordados en este volumen.

400,000,000 a. e. c.: Las rocas que formarán la Sierra Nevada yacen bajo el mar. Sobre estas rocas, se depositará oro luego de la erupción de volcanes submarinos.

28 de septiembre de 1542: Juan Rodríguez Cabrillo "descubre" la California de la actualidad (aunque los pueblos nativos habían vivido allí por miles de años). Reclama esa región para España.

30 de abril de 1803: Durante la presidencia de Thomas Jefferson, Estados Unidos le compra a Francia 828,000 millas² (2.1 millones de km²) de tierras al oeste del río Misisipi en una transacción conocida como la Compra de la Luisiana.

14 de mayo de 1804: Meriwether Lewis y William Clark parten de Camp DuBois con el Cuerpo de Descubrimiento para explorar el territorio adquirido en la Compra de la Luisiana e intentan encontrar una vía fluvial hacia la costa del Pacífico.

3 de marzo de 1820: Se aprueba el Compromiso de Misuri, en el que se excluye la esclavitud en los territorios de la Compra de la Luisiana al norte de la latitud 36°30′, salvo Misuri.

2 de diciembre de 1823: El presidente James Monroe declara que los continentes americanos "no deben ser considerados ya como objeto de futuras colonizaciones por parte de las potencias europeas". Este principio pasaría a ser conocido como la Doctrina Monroe. Junto con el Destino Manifiesto, respalda la expansión hacia el Oeste.

28 de mayo de 1830: El presidente Andrew Jackson promulga la Ley de Traslado Forzoso de los Indios, que permite el traslado de los nativos de sus tierras ancestrales a territorios despoblados al oeste del Misisipi.

2 de marzo de 1836: En medio de la guerra con México, Texas se declara independiente de México. La guerra termina y Texas se convierte en un territorio independiente. La cuestión de la esclavitud demora su ingreso a Estados Unidos por casi una década.

22 de mayo de 1843: Un grupo de mil colonos parte en una caravana de carretas desde Independence, Misuri, a través de lo que sería conocido como la Senda de Oregón hacia el territorio de Oregón. Le seguiría una ola de migración a gran escala hacia el Oeste.

Julio–agosto de 1845: John L. O'Sullivan acuña el término "Destino Manifiesto" en un artículo sobre la anexión de Texas publicado en *United States Magazine and Democratic Review.*

10 de febrero de 1846: Los miembros de la Iglesia de Jesucristo de los Santos de los Últimos Días (mormones) parten de Illinois para escapar de la persecución y se dirigen al Oeste, a territorios controlados en aquella época por México. Se instalan en el valle de Great Salt Lake, en Utah.

25 de abril de 1846: Comienza la guerra mexicano-estadounidense, librada por la frontera en disputa entre Texas y México.

24 de enero de 1848: James Marshall descubre oro en el aserradero de Sutter en California. Marshall y Sutter tratan de mantener el descubrimiento en secreto.

2 de febrero de 1848: Representantes de Estados Unidos y México firman el Tratado de Guadalupe Hidalgo, que pone fin a la guerra mexicano-estadounidense y le cede a Estados Unidos más de 500,000 millas² (1.3 millones km²).

Mayo de 1848: Samuel Brannan enciende la fiebre del oro de California.

5 de diciembre de 1848: El presidente James K. Polk confirma el descubrimiento de oro en California, lo que enciende la "fiebre del oro".

28 de febrero de 1849: Llega a San Francisco el primer grupo de *los del 49.*

Septiembre de 1849: Los delegados se reúnen en la Convención Constitucional de California. En ella, elaboran el borrador de la Constitución del estado.

13 de noviembre de 1849: Los californianos ratifican la Constitución estatal por votación popular.

9 de septiembre de 1850: California se convierte en el estado número 31 de la Unión.

1851–1855 California exporta $232,539,806 en oro (equivalente a $6,279,435,000, en la actualidad).

30 de diciembre de 1853: Estados Unidos compra 29,670 millas² (76,845 km²) a México en una transacción conocida como el Tratado de Gadsden. El área luego pasó a formar parte de Arizona y Nuevo México.

30 de mayo de 1854: El Congreso sanciona la Ley de Kansas-Nebraska, que anula el Compromiso de Misuri y establece que el factor determinante para permitir la existencia de la esclavitud en un estado es la soberanía popular.

1854: Se inaugura la Casa de la Moneda de Estados Unidos, en San Francisco.

1855: La fiebre del oro de California llega a su fin.

20 de mayo de 1862: El presidente Abraham Lincoln firma la Ley de Asentamientos Rurales, que otorga a los colonos 160 acres (65 hectáreas) de tierras públicas al oeste del Misisipi, siempre que vivan en ellas durante cinco años consecutivos. La oposición de los grupos a favor de la esclavitud había derrotado esfuerzos previos por aprobar una legislación similar.

1 de julio de 1862: El Congreso aprueba la Ley del Ferrocarril del Pacífico, que otorga ayuda para la construcción de un ferrocarril desde Council Bluffs, Iowa, hasta la costa del Pacífico. El ferrocarril se construye entre 1863 y 1869.

23 de septiembre de 1862: Los soldados de Estados Unidos derrotan a los dakota en la batalla de Wood Lake. Los dakota habían atacado a los colonos y a otros que habían entrado en los territorios otorgados por un tratado con el gobierno de Estados Unidos.

Enero de 1864: Los navajos se rinden a Kit Carson en el cañón de Chelly, en Arizona. Un total de 8,500 hombres, mujeres y niños son obligados a realizar la que se conocería como la Larga Marcha, hacia el este de Nuevo México, para vivir en una reserva árida llamada Bosque Redondo.

29 de noviembre de 1864: Voluntarios de Colorado masacran a unos doscientos nativos cheyenes y arapahoes en un poblado, en un hecho conocido como la Masacre de Sand Creek y desatan una guerra generalizada.

10 de mayo de 1869: Los trabajadores unen las vías de la Union Pacific y de la Central Pacific Railroad. Los pasajeros pueden ahora viajar desde Nueva York a California en apenas ocho días.

Noviembre de 1875: Los gambusinos encuentran oro cerca de Deadwood, Dakota del Sur, lo que desencadena una nueva fiebre del oro.

25 de junio de 1876: Varias tribus juntas derrotan a las unidades del 7.° Regimiento de Caballería, al mando del general George Custer, en la batalla de Little Bighorn.

5 de octubre de 1877: El jefe Joseph de los nez percé se rinde luego que los soldados estadounidenses detienen su intento por conducir a su pueblo hacia la libertad en Canadá.

18 de junio de 1880: John Sutter fallece a los 76 años.

10 de agosto de 1885: James Marshall fallece en la pobreza a los 74 años.

1896: Se encuentra oro en el Klondike, lo que desencadena la "estampida del Klondike".

Glosario

Alta California se usa "Alta" para distinguir la región que hoy es parte del estado de California de la Baja California, una península que es parte de México.

anexar absorber un territorio.

bateo técnica de minería en la cual la arena gruesa, junto o bajo un río o un torrente es recogida en una cubeta o batea ancha y poco profunda, y luego agitada en el agua para separar el oro.

caja de esclusa un sencillo dispositivo de madera usado para procesar arena y encontrar oro.

censo recuento oficial de la población de un lugar.

circunnavegar viajar completamente alrededor de algo, como la Tierra.

Destino Manifiesto creencia que abraza la idea de que Estados Unidos tiene el derecho y el deber de ampliar su territorio y divulgar su forma de vida.

diligencia una carroza tirada por caballos para el transporte de pasajeros y mercancías.

divisa algo que se usa como dinero.

estado esclavista estado en el cual la esclavitud está permitida.

estado libre estado que no permite la esclavitud.

gambusino persona que busca, o explora, en busca de minerales, por ejemplo oro. También se denomina minero o buscador de oro.

invasores personas que ocupan tierras a las cuales no tienen legalmente derecho.

los del 49 grupo de personas que migraron a California en 1849 para buscar oro.

misión asentamiento construido en una región para convertir a los pueblos nativos al cristianismo.

onza troy una unidad de medida aplicada a los metales preciosos. Equivale a poco más de 31 gramos.

oro de placer pequeñas partículas de oro, por lo general depositadas en un río o torrente por un glaciar.

patrón oro patrón monetario en el cual la unidad básica de divisa es igual a una cantidad fija de oro.

presidio fuerte español. España construyó cuatro presidios en California para proteger las misiones.

pueblo población construida por los españoles para sostener las misiones y los presidios.

rancho una gran concesión de territorio otorgada por España a un futuro colono de Alta California.

veta depósito de minerales, por ejemplo, oro.

Para más información

Libros

Brands, H. W. *The Age of Gold: The California Gold Rush and the New American Dream.* Nueva York: Anchor Books, 2003.

Dolnick, Edward. *The Rush: America's Fevered Quest for Fortune, 1848–1853.* Nueva York: Little, Brown and Company, 2014.

Holiday, J. S. *The World Rushed In: The California Gold Rush Experience.* Norman, OK: University of Oklahoma Press, 2002.

Richards, Leonard L. *The California Gold Rush and the Coming of the Civil War.* Nueva York: Vintage Books, 2008.

Sitios de internet

Biblioteca del Estado de California: La fiebre del oro
http://www.library.ca.gov/goldrush
Encuentre enlaces a recursos (fotos, artículos, cartas, etc.) sobre la fiebre del oro de California.

La experiencia de Estados Unidos: La fiebre del oro
http://www.pbs.org/wgbh/amex/goldrush/index.html
Este sitio del Public Broadcasting Service contiene enlaces a artículos sobre los protagonistas de la fiebre del oro de California, un cronograma, un mapa de los sitios mineros, etc.

Museo virtual de la Ciudad de San Francisco: La fiebre del oro
http://www.sfmuseum.org/hist1/index0.1.html#gold
En este sitio encontrarás relatos en primera persona de la fiebre del oro de California, incluidos fragmentos del diario de John Sutter y un relato de William Tecumseh Sherman.

Bibliografía

Libros

Brands, H. W. *The Age of Gold: The California Gold Rush and the New American Dream.* Nueva York: Anchor Books, 2003.

Norton, Henry K. *The Story of California from the Earliest Days to the Present.* Whitefish, MT: Kessinger Publishing, 2010.

Orsi, Richard J., and James J. Rawls, eds. *A Golden State: Mining and Economic Development in Gold Rush California.* Berkeley, CA: University of Berkeley Press, 1999.

Walker, Paul Robert. *Gold Rush and Riches.* All About America. Nueva York: Kingfisher, 2011.

Artículos en línea

Avey, Tori. "Food of the California Gold Rush." The History Kitchen, January 20, 2015. http://www.pbs.org/food/the-history-kitchen/food-california-gold-rush.

Bordo, Michael D. "Gold Standard." Library of Economics and Liberty. Consultado el 19 de julio de 2015. http://www.econlib.org/library/Enc/GoldStandard.html.

"Building The Gold Rush." Digital History. Consultado el 19 de julio de 2015. http://www.digitalhistory.uh.edu/disp_textbook.cfm?smtID=2&psid=3147.

"California American Indian Facts." Native American Indian Facts. Consultado el 19 de julio de 2015. http://native-american-indian-facts.com/California-American-Indian-Facts/California-American-Indian-Facts.shtml.

"California Becomes the 31st State in Record Time." History. Consultado el 19 de julio de 2015. http://www.history.com/

this-day-in-history/california-becomes-the-31st-state-in-record-time.

"California Gold Discovery." Coloma California. Consultado el 19 de julio de 2015. http://www.coloma.com/california-gold-discovery.

"The California Gold Rush, 1849." Eyewitness to History. Consultado el 13 de octubre de 2016. http://www.eyewitnesstohistory.com/californiagoldrush.htm.

"The California Trail—Rush to Gold." Legends of America. Consultado el 19 de julio de 2015. http://www.legendsofamerica.com/we-californiatrail.html.

Dúran, Narcisco. "Secularization of the Missions." Consultado el 19 de julio de 2015. http://www.digitalhistory.uh.edu/disp_textbook.cfm?smtID=3&psid=540.

"Foreign Miner's Tax." Oakland Museum of California. Consultado el 19 de julio de 2015. http://explore.museumca.org/goldrush/curriculum/gamsaan/foreigntax2.html.

"Gold Nugget." The National Museum of American History. Consultado el 19 de julio de 2015. http://americanhistory.si.edu/collections/search/object/nmah_741894.

"The Gold Rush." Public Broadcasting Service. Consultado el 19 de julio de 2015. http://www.pbs.org/wgbh/amex/goldrush/index.html.

Hunt, Rockwell D. "How California Came to Be Admitted." *San Francisco Chronicle*, 9 de septiembre de 1900. http://www.sfmuseum.org/hist5/caladmit.html.

"John Sutter and California's Indians." HistoryNet, 12 de junio de 2006. http://www.historynet.com/john-sutter-and-californias-indians.htm.

"Juan Rodríguez Cabrillo." Encyclopedia.com. Consultado el 19 de julio de 2015. http://www.encyclopedia.com/topic/Juan_Rodriguez_Cabrillo.aspx

"Juan Rodríguez Cabrillo." San Diego History Center. Consultado el 19 de julio de 2015. https://www.sandiegohistory.org/online_resources/cabrillo.html.

Nash, Gerald D. "A Veritable Revolution: The Global Economic Significance of the California Gold Rush." *California History* 77, no, 4 (Winter 1998/1999): 276–292. https://www.jstor.org/stable/25462518?seq=1#page_scan_tab_contents.

"New Perspectives on the West." Public Broadcasting Service. Consultado el 19 de julio de 2015. http://www.pbs.org/weta/thewest/index_cont.htm.

Ojibwa. "California's War on Indians, 1850 to 1851." Native American Netroots, 2 de marzo de 2015. http://nativeamericannetroots.net/diary/1862

Pretty, Francis. "Sir Francis Drake's Famous Voyage Round the World." Modern History Sourcebook. Consultado el 19 de julio de 2015. http://legacy.fordham.edu/halsall/mod/1580Pretty-drake.asp.

Putnam, John. "The First Stagecoach Robbery in the California Gold Rush." Examiner.com, 19 de julio de 2010. http://www.examiner.com/article/the-first-stagecoach-robbery-the-california-gold-rush.

Rowlatt, Justin. "Why Do We Value Gold?" BBC,8 de diciembre de 2013. http://www.bbc.com/news/magazine-25255957.

"Sam Brannan." SierraFoothillMagazine.com. Consultado el 19 de julio de 2015. http://www.sierrafoothillmagazine.com/brannan.html.

"Sir Francis Drake." Royal Museums Greenwich. Consultado el 19 de julio de 2015. http://www.rmg.co.uk/explore/sea-and-ships/facts/explorers-and-leaders/drake.

"Squatters Riot—San Francisco City—1850." YesterYear Once More. Consultado el 19 de julio de 2015. https://yesteryearsnews.wordpress.com/2009/04/14/squatters-riot-sacramento-city-1850.

"What Was the Klondike Gold Rush?" Servicio de Parques Nacionales. Consultado el 19 de julio de 2015. http://www.nps.gov/klgo/learn/goldrush.htm.

Wolff, David, ed. "Gold Mining in the Black Hills." Black Hills Visitor. Consultado el 19 de julio de 2015. http://blackhillsvisitor.com/featured-articles.html?pid=879&sid=962:Gold-Mining-in-the-Black-Hills.

Yerger, Rebecca. "Sam Brannan: Pioneer, Dreamer, and Scoundrel." InsideNapaValley.com. Consultado el 18 de febrero de 2011. http://napavalleyregister.com/inv/lifestyles/sam-brannan-pioneer-dreamer-and-scoundrel/article_600ee514-3ae9-11e0-8969-001cc4c002e0.html.

Índice

Los números de página en **negrita** corresponden a ilustraciones. Las entradas en **negritas** son términos del glosario.

Acerca de la autora

KATE SHOUP ha escrito más de cuarenta libros y ha editado cientos más. Cuando no está trabajando, a Kate le encanta mirar las carreras de IndyCar, esquiar, leer y andar en motocicleta. Vive en Indianápolis junto a su esposo, su hija y su perro. Si quieres saber más sobre Kate y su obra, visítala en: www.kateshoup.com.